障がい者スポーツ大百科 1

大きな写真でよくわかる

障がい者スポーツって、なに？

大熊廣明／監修
こどもくらぶ／編

はじめに

2020年に開催される東京オリンピック・パラリンピックの成功に向けて、東京都は、「Be The HERO」と名付けた映像をつくりました。障がいの有無にかかわらずスポーツを楽しむこと、障がい者スポーツの魅力と感動の輪を広げようという目的で制作されたこの映像は、「アスリートだけではなく、応援する人もふくめ、スポーツをささえる一人ひとりがヒーローだ」というメッセージを伝えるものです。

登場するスポーツは、車いすテニス、５人制サッカー（ブラインドサッカー）、陸上、ゴールボール、ウィルチェアーラグビーの５つ。それぞれの選手たちがプレーする姿を映像で魅力的に伝えています。さらに映像には、日本を代表する５人の漫画家がそれぞれのスポーツの絵をかき、ミュージシャンが曲を手がけ、声優が音声解説版の解説を担当しています。みな「すべての人をヒーローに」というよびかけに、手をあげ、協力したのです。

障がいというハンディキャップをばねに、だれも通ったことのないきびしい道を進む選手たちは、障がいを克服するだけでなく、記録に挑戦すべくさらに壁をのりこえていきます。そうした選手たちのすがたが、見る人に感動をあたえ、勇気をあたえ、希望をあたえます。そして、選手を応援し、ささえるサポーターたちも、選手に勇気と力をあたえます。「すべての人をヒーローに」というメッセージは、たがいをはげましささえあう、ということでもあるのです。

★

このシリーズは、障がい者スポーツについて４巻にわけて、さまざまな角度からかんがえようとする本です。パラリンピックがいつからはじまったのか？　そもそも障がい者スポーツはどうやって生まれたのか？　どんな競技があり、どんな大会があるのか？　知らないことがたくさんありそうですね。さあ、このシリーズで、障がい者スポーツについてしらべたり、かんがえたりしてみましょう。

このシリーズは、つぎの４巻で構成されています。

①障がい者スポーツって、なに？
②いろいろな競技を見てみよう
③国際大会と国内大会
④挑戦者たちとささえる人たち

「Be The HERO」に登場する選手たちと、漫画家たちがかいたスポーツの絵。
ウィルチェアーラグビー／日本代表選手（池崎大輔）他　©ちばてつや
ゴールボール／日本代表選手他　©真島ヒロ
車いすテニス／国枝慎吾　©浦沢直樹
陸上競技／高桑早生　©窪之内英策
５人制サッカー／日本代表チーム　©高橋陽一
SUPPORTED BY TOKYO METROPORITAN GOVERNMENT

もくじ

1 障がい者スポーツとは？

「障がい者スポーツ」とは、からだや心に障がいのある人がおこなうスポーツのことをいいます。どのような障害があっても、くふうをこらすことによって、すべての人が参加できるように考えてつくられたスポーツです。

くふうして適応させるスポーツ

障がい者スポーツは、その多くが、健常者とおなじ種目のスポーツのルールや用具を少し変更したものです。たとえば、視覚障がい者による柔道は、一般の柔道とほぼおなじルールでおこなわれますが、そでとえりをもち、はじめから組んだ状態で試合がはじまります。

このようなくふうは、じつは健常者のスポーツでもおこなわれています。バレーボールでは、男子と女子、または小・中・高校・一般（大人）でそれぞれネットの高さがちがいます。からだの大きさや運動能力の差をおぎなうことで、性別や年齢にかかわらず、おなじスポーツをおなじように楽しめるようになっているのです。

●一般のルールとちがうくふうの例

水泳	下肢などの障がいで飛びこみでのスタートがむずかしい場合には、水中からのスタートがみとめられている。
車いすテニス	2バウンドでボールを返してもよい（一般のルールではみとめられていない）。
ブラインドテニス	全盲の選手は3バウンド以内、弱視の選手は2バウンド以内にボールを返せばよい。
車いすフェンシング	車いすからおしりがうくと反則になる。

リオデジャネイロパラリンピックでの柔道の試合のようす。おたがいにえりとそでをもち、試合をはじめる。

だれもがいっしょに楽しめるスポーツ

最近では、マラソン大会に視覚障がい者のランナーが、健常者がつとめるガイドランナー（伴走者）とともに参加したり、車いすに乗った人と健常者がペアを組んでテニスをしたりなど、障がいのある人とない人がいっしょにスポーツを楽しむようになってきています。また、障がいのない人がアイマスクをつけたり、すわったままの姿勢でプレイしたりすることで、障がいのある人とおなじ条件で障がい者スポーツを楽しむ場面も見られるようになっています。

ブラインドサッカーの試合では、選手はアイマスクを着用。国内ルールでは、目の見える人も弱視の人も、全盲の選手とともにプレーできる。また、敵陣ゴールのうらで声を出している「ガイド」とよばれる役割の人は、目の見える人がつとめ、敵陣への攻めについて選手に声で指示をだす。

「障がい者スポーツ」のべつの言い方

スポーツのルールや用具を障がいの種類や程度に適合（adapt）させることによって、障がいのある人はもちろん、女性や子ども、からだの機能のおとろえた高齢者であってもスポーツに参加することを可能にさせるのが、「障がい者」スポーツの目的だ。そのため、障がい者ということばを使わず、「アダプテッド・スポーツ（adapted sports）」とよぶことが多い。また、既存のスポーツを障がいに応じて修整したものが多いことから、「類似、同様」という意味の接頭語である「para-」をつけた「パラスポーツ（para-sports）」ともよばれる。

2 リハビリとしてはじまった

人のからだは、積極的にうごかすことで、けがやおとろえた機能などの回復を期待できます。事故や病気などで障がいを負った人の治療としておこなわれたのが、障がい者スポーツのはじまりです。

古くからおこなわれていた運動療法

スポーツは、からだのいろいろな部位を積極的にうごかすため、からだや心の機能をとりもどす医療「リハビリテーション」（リハビリ）の手段としても活用されてきました。

18世紀には、フランスやドイツで運動療法としてのスポーツの活用が紹介されています。運動療法とは、からだをうごかしたり刺激したりすることで、機能の回復や内臓・筋肉などの強化、精神状態の改善などをはかる治療法です。その後、運動療法は医師や体育指導者によって発展していき、医療としてのスポーツの活用は世界へと広がっていきました。

第一次世界大戦で負傷した兵士のリハビリテーションのようす。マシンを使い、からだをうごかしたり刺激したりして機能の回復をはかる。 ©Roger-Viollet/アフロ

第二次世界大戦のただなか、病院の敷地内でフットボールをおこなう負傷兵たち。フットボールは、最前線で負傷した兵士たちのリハビリテーショントレーニングの一部だった。写真の兵士たちは、まもなく退院するまでに回復している。 ©AP/アフロ

大きな戦争をきっかけに

リハビリの手段として本格的にスポーツが注目されたのは、第一次世界大戦がきっかけです。戦争で大けがをして障がいをもった兵士（戦傷者）の治療やリハビリのために、戦争中のドイツ陸軍の野戦病院で軍医たちがスポーツを採用したのです。

おなじころ、イギリスでも、戦傷者たちを中心とした自動車クラブやゴルフ協会が活動をはじめました。また、ノルウェーでは視覚障がいのある人たちの水泳大会が開かれました。

いっぽう、からだのうごきには問題のない聴覚障がい者も、スポーツの世界では健常者と区別されていました。聴覚障がいのある人たちから健常者とおなじようにスポーツをしたいという声が高まり、1888年、世界初の聴覚障がい者のスポーツクラブがドイツでつくられました。

第二次世界大戦以降の発展

障がいのある人によるスポーツ活動が飛躍的に発展するのは、第二次世界大戦以降のことです。この戦争では、大規模な戦闘によって、かつてないほど多くの死者とけが人が出ました。戦争で負った障がいで歩行や日常生活が困難になったり、視覚や聴覚をうしなったりした人たちの治療やリハビリのため、戦争中の欧米各国の病院でスポーツが採用されました。

戦争が終わると、戦傷者によるスポーツ活動が積極的におこなわれるようになりました。ドイツをはじめ、参戦国では戦傷者によるスポーツ組織がつぎつぎと設立され（→P12）、スイスやスウェーデンなど参戦しなかった国ぐにでも、障がい者スポーツの取り組みがおこなわれるようになりました。

3 グットマン博士の功績

障がい者スポーツを現在のようなかたちに発展させた最大の功労者は、医学博士であるルートヴィッヒ・グットマンです。グットマン博士は、「パラリンピックの父」ともよばれます。

亡命した神経外科医

グットマン博士は、1899年、ドイツのユダヤ人家庭に生まれました。フライブルク大学医学部を卒業し、脊髄損傷にかかわる神経学の勉強をつづけていましたが、当時のドイツは第二次世界大戦のまっただなかです。ナチスによるユダヤ人の迫害がはげしくなったため、1938年にイギリスに亡命。オックスフォード大学の講師として研究をつづけました。

第二次世界大戦が終わりに近づくにつれ、イギリスでは大規模な軍事作戦によって多数の戦傷者が出てしまうことが予想されていました。そこで1944年、戦傷者の専門病院のひとつとして、ロンドン郊外のストーク・マンデビル病院内に国立脊髄損傷センターが設立され、グットマン博士は、そこのセンター長としてむかえられました。

画期的な治療訓練システムをつくる

このころの医療技術では、脊髄を損傷した人の命は、わずか2割しか助かりませんでした。また、命が助かったとしても、のこった障がいのためにひとりで日常生活を送ることは非常にむずかしい状況でした。

ルートヴィッヒ・グットマン博士。博士が患者にかけた「うしなった機能をかぞえるな、のこった機能を最大限にいかせ」ということばは、現在も障がい者のリハビリの基本理念となっている。

グットマン博士は、脊髄を損傷した人の救急医療から社会復帰のためのリハビリまで、一貫した治療訓練システムをつくりあげました。そして、からだの機能の回復訓練として、また精神面の健康を取りもどすレクリエーションとして、積極的にスポーツを取りいれました。このとき採用されたスポーツには、アーチェリーや車いすバスケットボールなどがあります。

この結果、半年の治療期間で約8割の患者が仕事につけるまでに回復するというおどろくべき成果を出しました。博士と国立脊髄損傷センターの取り組みは、世界的に注目されました。

「パラリンピックの父」となる

1948年、ロンドンオリンピックの開会式とおなじ日に、グットマン博士は入院患者を対象として、病院内でアーチェリー競技会を開きました。参加者は車いすを使用している退役軍人16人という小さな競技会でしたが、障がいのある人にもスポーツができることをしめした大きな意義のあるものでした。

競技会は、病院名をつけた「ストーク・マンデビル競技大会」とよばれて毎年おこなわれ、回をかさねるごとに参加者や競技種目がふえていきました。1952年にはオランダの退役軍人チームが参加し、国際大会へと発展します。

1960年からは、グットマン博士のよびかけで、オリンピックの年にオリンピックの開催都市で大会がおこなわれることになりました。この年にローマで開かれた競技大会には23か国から400名が参加し、この大会は、いま「第１回パラリンピック」とよばれています。

「パラリンピック」の意味

パラリンピックは、「両足がまひしている状態」を意味する英語「Paraplegia」の「パラ」と「オリンピック」をあわせてつけられたといわれている。「ストーク・マンデビル競技大会」が車いす使用者向けの競技会だったことから、その名が生まれた。その後、競技者数がふえて出場が許可される障がいのわくが広がると、「もうひとつのオリンピック」という認識が高まり、「ならんで立つ、同等」という意味の英語「Parallel」の「パラ」とオリンピックをあわせた言葉として、広く使われるようになった。

国際大会へと発展し、1953年におこなわれた「ストーク・マンデビル競技大会」でのやり投げ競技のようす。 ©TopFoto/アフロ

4 競技スポーツとしての発展

医療のひとつの手段としてはじまった障がい者スポーツは、多くの人に親しまれるうちに、競技性を強めていきました。

参加希望の声の高まり

「ストーク・マンデビル競技大会」がはじまった当時、大会はスポーツの勝ち負けをきそうものというよりも、障がい者のリハビリの一環としての意味あいが強く、あくまでも医師が主導するものでした。また、競技も車いす使用者のものだけにかぎられていました。しかし、大会が発展して国際的になるにつれ、脊髄を損傷した車いす使用者だけでなく、義足や義手を使用している人、視覚障がいのある人などほかの障がいをもつ人たちからも、参加を希望する声が高まっていきました。

1964年に開催された「第13回国際ストーク・マンデビル競技大会」第２部の大会のようす。
右：砲丸投げ。男子４kg、女子2.271kgのものを使う。
右ページ上：走り高飛び。バーの高さは１mからスタート。3回つづけて失敗すると失格になる。
右ページ下：100m障害競歩。25mの歩行路に障害（またぐ、くぐる、のぼる、おりるなど）が４か所あり、定められたとおりの歩行をし、所要タイムをきそう。

パラリンピックが正式名称になったのは

1964年の東京大会は、「国際身体障害者スポーツ大会」という名前だったが、はじめて「パラリンピック」というよび名が使われた。12年後の1976年、モントリオールオリンピック開催年におこなわれたトロント大会（→P13）では、はじめて車いす使用者だけでなく、義足や義手を使用している人も出場するようになった。また同年には、義足や義手を使用している人による冬季大会がスウェーデンで開催された（のちに第１回冬季パラリンピックと位置づけられる）。当初はオリンピックとパラリンピックの開催地と時期はずれていたが、夏季は1988年のソウル大会、冬季は1992年のアルベールビル大会から、おなじ場所でおなじ時期におこなわれるようになった。なお、ソウル大会から正式名称が「パラリンピック」となった。

すべての障がい者が参加できる大会に

障がい者スポーツのさらなる発展のきっかけとなったのは、1964年、東京オリンピックとおなじ年に開催された「第13回国際ストーク・マンデビル競技大会」といえます。日本の大会準備委員会は、この大会を、すべての障がい者が参加できる大会にしたいと考えました。しかし、「ストーク・マンデビル競技大会」自体は車いす使用者の大会です。そこで、大会を２部制にして、第１部を車いすの選手による国際大会、第２部を、日本の車いす使用者以外でからだに障がいのある人と聴覚障がいのある人、視覚障がいのある人、そして西ドイツの招待選手が参加する国内大会としておこなったのです。

5 障がい者スポーツの組織化

障がい者スポーツが世界に広がると、選手たちをまとめたり大会を運営したりする組織がつぎつぎとつくられました。国ごとにつくられた小さな組織は、やがて国際的な大きな組織へと発展しました。

2009年、台湾でおこなわれたデフリンピックの開会式。デフリンピックの夏季大会は1924年、冬季大会は1949年に第1回大会が開催された。大会中は、選手、スタッフともに国際手話でコミュニケーションがとられる。

はじめは国内組織から

障がい者スポーツの組織的な活動は、19世紀の終わりごろから、ドイツやイギリスなどヨーロッパの国ぐにでおこなわれるようになりました（→P7）。この流れが大きくもりあがったのは、第二次世界大戦以降です。ドイツやフランス、オーストリアなどの大戦参加国では、国内に身体障がい者のスポーツ協会がつくられ、大会が開かれました。

世界ではじめての国際的な障がい者スポーツ組織は、1924年にフランスで設立された、聴覚障がいのある人のための組織「国際ろう者スポーツ委員会（ICSD）*1」です。この年、パリで9か国145人が参加した世界ろう者競技大会（現在の「デフリンピック」）が開かれました。しかし、そのほかの国際的な組織の設立や国際大会の開催は、第二次世界大戦の影響もあり、なかなか進みませんでした。

*1 ICSDは英語の略称。フランス語の略称であるCISSとよばれることもある。

障がい別の国際組織が発足

第二次世界大戦後、最初にできた組織は、1952年にイギリスのアイレスベリーで発足した車いす使用者の「国際ストーク・マンデビル競技連盟（ISMGF）」です。1964年には、視覚障がいや脳性まひ、切断などの障がいをもつ人を対象に、身体障がい者スポーツのためのワーキンググループがつくられました。そして、この組織を母体として、1962年には脊髄損傷者もふくめた「国際身体障害者スポーツ機構（ISOD）」が結成されました。

1974年には、ISMGFとISODが共同開催する大会が開かれました。ここで障がい別に競技のルールや大会の運営方法などがととのえられ、1976年に両組織が参加する「国際ストーク・マンデビル競技大会（第5回パラリンピック）」が、カナダのトロントで開かれました。この大会は現在のパラリンピックの基礎となり、「トロントリンピアード」の愛称でよばれました。

その後、1978年に「国際脳性まひ者スポーツ・レクリエーション協会（CP-ISRA）」が、1980年に「国際視覚障害者スポーツ協会（IBSA）」が、ISODから独立するかたちで設立されました。

国際組織の連携と統合

ISMGF、ISOD、CP-ISRA、IBSAの4団体は障がい別の国際スポーツ組織です。そのため、からだに障がいのあるさまざまな人たちが参加する大きな国際大会の開催への手つづきをやりやすくするため、1982年に障がい者スポーツの「国際調整委員会（ICC）」を設立。1986年には、「国際知的障害者スポーツ連盟（INAS）」と「国際ろう者スポーツ委員会（ICSD）」もICCに加盟しました*2。

1988年にICC主催でパラリンピックソウル大会を開催。翌1989年、障がい者スポーツの国際組織を統括する「国際パラリンピック委員会（IPC）」が発足しました。こうしたIPCを中心とした組織のほか、知的障がいのある人たちに日常的なスポーツ活動を提供する「スペシャルオリンピックス（SO）」があります。

*2 ICSDは1995年に脱退。

●現在の障がい者スポーツの国際組織

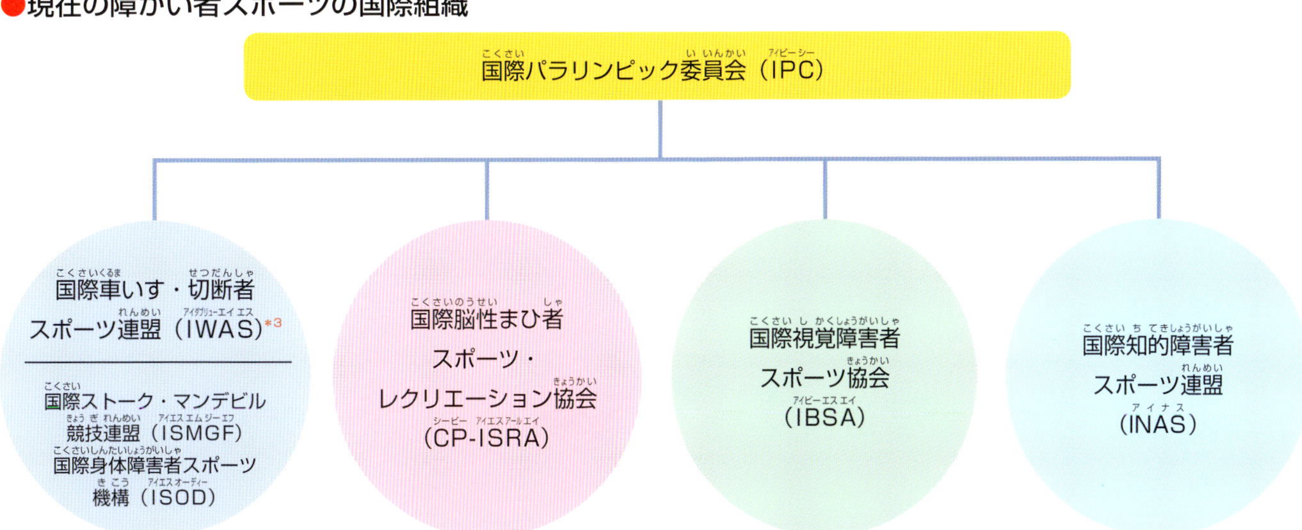

*3 2004年には、ISMWSF（ISMGFから名称変更）とISODが統合し、国際車いす・切断者スポーツ連盟（IWAS）ができた。

6 日本の障がい者スポーツのはじまり

日本における障がい者スポーツの歴史は、ヨーロッパよりもおくれてはじまりました。しかし、大きな国際大会の開催をきっかけに大きく発展しました。

きっかけは東京パラリンピック

第一次世界大戦終了後の日本で、視覚障がいや聴覚障がいのある人を対象にした大会の記録はいくつかのこされていますが、当時、手足などに障がいのある人を対象としたものはありませんでした。からだに障がいがある人の競技大会は、1951（昭和26）年に東京都が主催したスポーツ大会がはじめです。

障がい者スポーツが全国的に広がっていったのは、1964年の東京オリンピック直後に開催された、「第13回国際ストーク・マンデビル競技大会（第2回パラリンピック）」がきっかけです。

開催の2年前、日本は国としてはじめて大会に参加し、「国際身体障がい者スポーツ大会運営委員会」を設立しました。このとき、厚生省（現在の厚生労働省）から各都道府県や政令指定都市に向けて、障がい者スポーツを奨励すること、そのための予算をおぎなうことなどが通達された結果、日本各地でからだに障がいのある人たちのスポーツ大会が開催されるようになりました。

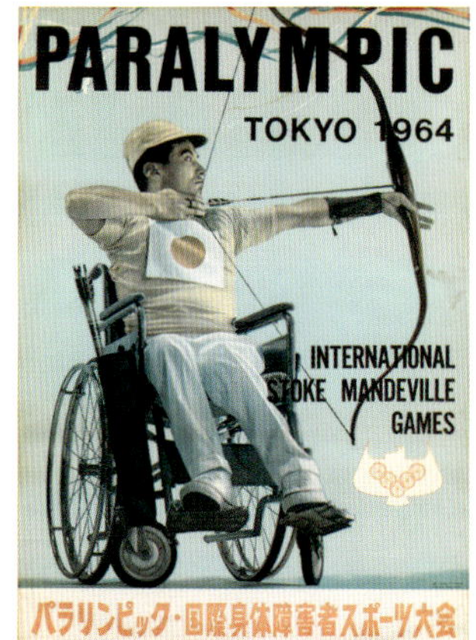

1964年「第13回国際ストーク・マンデビル競技大会」のポスター。パラリンピックの文字が見られる。

東京で開催された第2回パラリンピックの第2部・国内大会の100m障害競歩のようす。

からだに障がいのある人が、障がいの程度によってことなるシューティングの姿勢でおこなうアーチェリー競技。さまざまなフォームで、くふうをしながらアーチェリーをきそう。

●全国的な障がい者スポーツ大会の開始年

開始年	大会名
1967年	全国ろうあ者体育大会
1970年	日本車椅子バスケットボール選手権大会
1972年	全国身体障害者スキー大会
1973年	全国身体障害者アーチェリー選手権大会など

さかんになった国内大会

パラリンピック東京大会に向けてつくられた「国際身体障がい者スポーツ大会運営委員会」は、開催の翌年（1965年）に解散し、それを引きつぐかたちで、「日本身体障がい者スポーツ協会」が設立されました。都道府県や政令指定都市が実施する障がい者スポーツ大会に、国から予算補助が出るようになったこともあり、東京パラリンピックの成功は、障がい別や、競技別の全国的な障がい者スポーツ大会の開催へとつながっていきました。

7 国内の障がい者スポーツ組織の結成

パラリンピック東京大会後、日本国内でも障がい者スポーツをおこなう選手や団体、大会運営などを統括する組織がどんどんつくられました。

日本障がい者スポーツ協会

障がい者スポーツが普及するにつれ、競技種目もしだいにふえていきました。はじめ、脊髄損傷による車いす使用者のスポーツは、車いすバスケットボールやアーチェリーなどにかぎられていました。しかし1975年以降は、車いすマラソンや卓球、視覚障がい者のマラソン、車いすテニスなど、さまざまな競技が日本でもおこなわれるようになります。

1999年、「日本身体障がい者スポーツ協会」は、知的障がい者や精神障がい者のスポーツを身体障がい者のスポーツと統合していく目的から、あらゆる障がいをもつ人びとのスポーツを統括する団体となるように「日本障がい者スポーツ協会（JPSA）」と名称をかえました。JPSAは、国内のほかの障がい者スポーツ組織を統括し、パラリンピックをはじめとする国際大会に選手を派遣したり、障がい者スポーツの指導者を養成したりしています。また、全国規模の国内大会を主催するなど、日本の障がい者スポーツの普及や奨励、選手強化の中心的存在となっています。

●日本障がい者スポーツ協会のシンボルマーク（上）とコミュニケーションマーク（下）

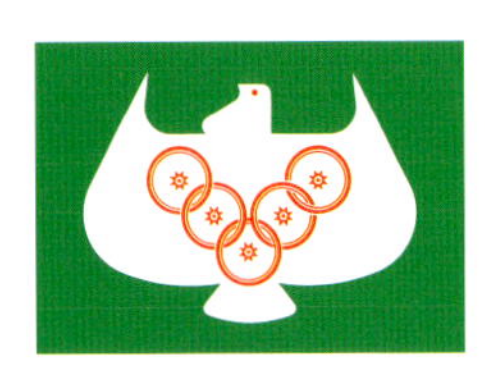

パラリンピック東京大会のときに制定されたもの。5つの輪は、車いすと世界の人びとをつなぐ輪（和）、中心の星は希望、その配列はV字（ビクトリー）で人生を克服する勝利、白い鳩は「愛」をあらわしている。

火の鳥の羽をモチーフにしていて、マークの赤は未来へ飛翔するアスリートたちの心のなかに燃える炎をイメージ。日本の障がい者スポーツの10年後、20年後をみすえてシンボルマークにくわえて新たな想いを形にしている。

全国を統括するそのほかの組織

障がい別の統括団体としては、「全日本ろうあ連盟スポーツ委員会」、「日本盲人会連合スポーツ協議会」、「日本知的障害者スポーツ連盟」、「スペシャルオリンピックス日本」などがあります。これらの団体は、おなじ障がいをもつ人たちのスポーツ団体を統括したり、さまざまな大会を開催したりしています。また、各都道府県や政令指定都市ごとに障がい者スポーツ協会があり、各地域での障がい者スポーツの普及や選手強化につとめています。

さまざまな競技団体

いっぽう、全国を統括する競技別の障がい者スポーツ組織も多数あります。もっとも古くに設立された「日本車椅子バスケットボール連盟」をはじめ、パラリンピック公式種目の競技団体はもちろん、野球やボウリング、シンクロナイズドスイミングといった競技団体も設立されています。これらの団体は、特定の競技の普及や選手強化、審判員養成などにつとめています。競技別の地域団体もあり、その地域での競技の普及や大会開催、イベントの実施、講習会などをおこなっています。

JPSAと文部科学省および開催地が主催する「全国障害者スポーツ大会」。大会の目的は、競技スポーツとはことなり、障がいのある人たちの社会参加の推進や、国民の障がいのある人たちに対する理解を深めることにある。写真は2013年の東京大会での閉会式で、東京都選手団に見送られる、各都道府県の選手たち。

●国内のおもな障がい者スポーツ競技団体とその設立年

設立年	団体名
1975年	日本車椅子バスケットボール連盟
1976年	日本身体障害者アーチェリー連盟
1981年	日本肢体不自由者卓球協会
1983年	日本盲人マラソン協会
1984年	日本身体障害者水泳連盟
1986年	日本視覚障害者柔道連盟
1988年	日本パラ陸上競技連盟
1990年	日本障害者スポーツ射撃連盟
1990年	日本障害者セーリング協会
1990年	日本パラサイクリング連盟
1991年	日本車いすテニス協会
1993年	日本車いすダンススポーツ連盟
1994年	日本ゴールボール協会
1994年	日本障がい者乗馬協会
1997年	日本ウィルチェアーラグビー連盟
1997年	日本ボッチャ協会
1998年	日本車いすフェンシング協会
1998年	日本フロアバレーボール連盟
1999年	日本パラ・パワーリフティング連盟
2001年	日本脳性麻痺7人制サッカー協会
2001年	日本障害者スキー連盟
2002年	日本ブラインドサッカー協会
2006年	日本パラローイング協会
2006年	日本アイススレッジホッケー協会
2007年	日本チェアカーリング協会

8 日本の障がい者スポーツの普及

現在の日本では、さまざまな種目の障がい者スポーツがおこなわれています。障がい者スポーツの普及の背景には、障がい者アスリートへの国際的な関心の高まりがあります。

パラリンピック長野大会

1991年、冬季オリンピックとパラリンピックを、1998年に日本の長野でおこなうことが決定しました。これを受けて、世界の舞台で戦えるレベルの選手を育てようと、日本で本格的な障がい者アスリートの育成がはじまります。国内最高の障がい者スポーツ大会と位置づけられたジャパンパラリンピック（2011年以降は「ジャパンパラ競技大会」に名称が変更）の開催や、選手の強化合宿などを熱心におこなった結果、日本は長野パラリンピックで、金メダル12個、銀メダル16個、銅メダル13個を獲得するという好成績をおさめることができました。

障害者への理解

1976年、国際連合の総会で、1981年を「国際障害者年」とすることが決められた。障がい者の社会生活を保障し、社会に参加するための国際的な取り組みを進めることが目的だ。1983年から1992年までを「国連障害者の十年」と定めたことを受けて、日本でもさまざまな長期的計画や取り組みがおこなわれた。障がい者が利用できるスポーツ施設の設立も全国で進み、さまざまな種目の障がい者スポーツが身近におこなえるようになっていった。

1995年に創刊された障がい者スポーツ専門雑誌「Active Japan（アクティブ・ジャパン）」（メディアワークス）。日本ではじめて障がい者スポーツを専門にあつかった情報誌だった。1998年の長野パラリンピック後に休刊となった。

本格的な競技スポーツへ

それまで障がいのある人がするスポーツといえば、リハビリや治療のためであったり、運動を楽しむという側面が強いものであったりしました。しかし、レベルが上がるにつれて、障がい者スポーツもからだをきたえあげたアスリートがおこなう競技スポーツとして、世間に広く知られるようになっていきました。

●長野オリンピックのメダリスト

氏名	競技	種目　メダル	障がい区分
武田豊	アイススレッジスピードレース	男子100m他　金3* 男子1500m　銀	脊髄損傷(LW10)
大日方邦子	アルペンスキー	女子滑降　金 女子スーパー大回転　銀 女子大回転　銅	下肢切断(LW12)
土田和歌子	アイススレッジスピードレース	女子1000m他　金2* 女子100m他　銀2*	脊髄損傷(LW11)
松江美季	アイススレッジスピードレース	女子500m他　金3* 女子100m　銀	脊髄損傷(LW10)
渡辺敏貴	アイススレッジスピードレース	男子1500m　金 男子1000m　銅	脊髄損傷(LW10)
志鷹昌浩	アルペンスキー	男子回転　金	脊髄損傷(LW10)
小林深雪	バイアスロン 伴走者 中村由紀	女子7.5Km　金	視覚障害(B2)
安彦論	クロスカントリースキー	男子5Km　銀	クラシカル知的障害(ID)
野沢英二	バイアスロン	男子7.5Km　銀	脊髄損傷(LW10)
奥山京子	アイススレッジスピードレース	女子1000m他　銀2* 女子100m他　銅2*	脊髄損傷(LW11)
加藤正	アイススレッジスピードレース	男子500m他　銀2* 男子1500m　銅	下肢切断(LW11)
金井良枝	アイススレッジスピードレース	女子1500m　銀 女子100m他　銅3*	脊髄損傷(LW10)
奥原明男	アイススレッジスピードレース	男子100m　銀 男子500m　銅	脊髄損傷(LW10)
青木辰子	アルペンスキー	女子回転　銀	脊髄損傷(LW10)
山口善久	アイススレッジスピードレース	男子100m　銀 男子500m　銅	下肢切断(LW11)
中村博之	アイススレッジスピードレース	男子1500m　銀 男子1000m　銅	下肢切断(LW11)
桑原明美	アイススレッジスピードレース	女子1500m　銅	脊髄損傷(LW11)
篠原広樹	クロスカントリースキー	男子20Km　銅	クラシカル知的障害(ID)

*メダルの次の数字は、獲得した合計数

IPC(国際パラリンピック委員会)主催による「2015-16 IPCアルペンスキーワールドカップ」の座位のクラスで、大回転をおこなう森井大輝選手。森井選手は、この大会で年間総合優勝にかがやいた。　撮影：薬師洋行

9 障がい者スポーツのいま

現在では、障がい者スポーツのレベルはさらに高くなり、世間で広く知られるようになりました。日本では、日常の生活のなかで障がいの有無や種類にかかわらず、だれもがともにスポーツを楽しめるような環境づくりが進んでいます。

障がいの垣根をこえて

1999年、「日本身体障がい者スポーツ協会」は「日本障がい者スポーツ協会」へと名前を変更し、身体障がい・知的障がい・精神障がいという３つの障がいをあわせて障がい者スポーツを統括していくことになりました。その翌年には、「日本障がい者スポーツ協会」が「日本体育協会」に加盟。2001年には、それまでの身体障がい者と知的障がい者の各大会を統合し、「第１回全国障害者スポーツ大会」が開かれました。

2013年に東京都で開催された「第13回全国障害者スポーツ大会」の開会式で炬火トーチを持って走る選手たち（写真下）。大会では各種競技がおこなわれる。右の写真は、女子砲丸投げの一投目で９m48cmの大会新記録を出した高土文子選手（東京都）。

日本盲人マラソン協会（JBMA）主催の「神宮外苑ロードレース」。視覚障がいのある人（伴走者が必要もしくは不必要）、知的障がいのある人、一般のランナーがおなじコースをおなじ時間にスタートする10kmレース。5kmウォーキング部門では、小学生以上が参加できる。

健常者とともに参加

2002年には、日本陸上競技連盟の競技規則の改正により、視覚障がい者がガイドランナー（伴走者）とともに連盟主催のマラソン大会に参加することができるようになりました。近年の「東京国際女子マラソン」や「大阪国際女子マラソン」などには、視覚障がいある選手も出場しています。

「障がい」の定義

身体障がいは、からだの機能の障がいをさす。手や足などが事故でうしなわれたり病気でうごかなくなったりする肢体不自由、目が見えなかったり非常に見えにくかったりする視覚障がい、耳が聞こえにくい聴覚障がい、内臓のはたらきに問題がある内部障がいなどがある。知的障がいは、知的機能に障がいがあること。読み書きや計算、抽象的なものごとを考えること、複雑な判断などを苦手とするなどの特徴がある。精神障がいは、精神面の障がいのこと。実際にはないものごとを見聞きしたり、わけもなく不安でしかたなかったり、正常な判断ができなかったり、そのために不適切な行動をとってしまったりする。競技においては、障がいの種類や程度によって、選手を分けておこなう。障がいの重い人と軽い人がおなじ競技に出場すると、実力に関係なく勝敗がきまってしまう場合があるから、不公平をなくすためだ。これをクラス分け（障がい区分）という。一般の競技会で、種目によって男女別や体重別に競技をおこなうのとおなじといえる。

10 障がい者スポーツのこれからの課題

広く日常的に楽しまれるようになった障がい者スポーツですが、レベルがどんどん高くなっていくにつれ、問題点も出てきました。それは、勝利や記録をめざす気持ちの強さがもたらしたものです。

用具の性能の不公平さ

障がい者スポーツでは、からだのうごきをおぎなう用具の性能が、競技の結果にとても大きな影響をおよぼします。先進国では、さまざまな研究をもとに、より運動性能のすぐれた車いすや義肢（義足や義手）がつぎつぎと開発され、トップアスリートたちは最新式の用具を使って記録をつくっています。しかし、発展途上国ではこのような技術はなく、生活に必要な用具さえすべての障がい者にいきわたっていないところが数多くあります。しかも、最新式の用具は非常に高価で、途上国の人たちが手に入れるのはなかなかむずかしいのが現状です。

障がい者スポーツにはお金がかかる

世界のトップレベルであらそうアスリートは、練習にかかるコート代やコーチ代、いくつもそろえる用具やスポーツウェアの費用、大会参加のための旅費や参加費など、非常に多額のお金を必要とします。一般のアスリートであれば、スポンサー*がついて費用を負担したり、競技団体が補助をしたりします。しかし、一般のスポーツよりも知名度の低い障がい者スポーツの場合、競技団体からの援助も少なく、スポンサーもあまりつかないため、それらを自分で負担しなければなりません。

*個人のスポーツ選手やスポーツ団体に対し、広告や自社のPRを目的として資金を提供する企業。

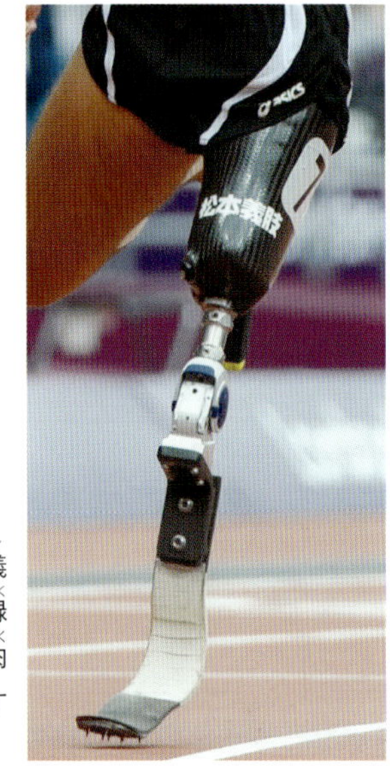

競技用につくられた義足をつけて出した記録は、健常者の記録に肉薄し、ときに追いこすこともある。

車いすラグビー（ウィルチェアーラグビー）では、一般の車いすよりがんじょうにつくられた専用の車いすを使う。

クラス分けの問題

障がいのある人がスポーツをおこなう場合、本人がどれほど努力をしても、障がいの種類や程度が競技の成績に大きく影響します。そこで競技をなるべく公平な条件でおこなうために、おなじ程度の機能をもつ選手どうしで対戦できるようにクラス分け（→P21）が必要になります。

しかし、クラスをこまかく分けると、おなじ競技や種目にたくさんの優勝者やメダリストが生まれてしまいます。その問題を解消するため、クラスを統合して数をへらそうといううごきも出てきました。ただ、そうなると、ことなる障がいをどのように判断して統合するかが問題です。より障がいの程度が軽い選手のほうが有利になり、程度の重い障がい者が勝利するのがむずかしくなってしまうことも心配されています。

健常者にせまる競技記録

障がい者スポーツは、きびしい練習をつみかさねて成績や記録をきそうという競技スポーツへと発展してきました。現在の障がい者スポーツのトップアスリートたちのなかには、健常者ときそうレベルをもつ選手もいます。たとえば、2016年現在、陸上競技の100m走の健常者の世界記録は、ジャマイカのウサイン・ボルト選手がもつ９秒58。障がいのある選手の記録は、10秒台を記録しているクラスがいくつもあり、健常者との差が１秒もありません。近年では、障がいをおぎなう用具の発達から、健常者と障がい者をおなじ大会できそわせるのは公平かどうかという議論までまきおこっています。

義足での走り方を徹底的に研究し、その成果をみせる選手たち。男子走り幅跳びで活躍する山本篤選手もそのひとり。

薬物使用の問題

障がい者スポーツの問題点のひとつが、薬物使用（ドーピング）だ。ドーピングとは、スポーツ選手が肉体的・精神的に運動能力を向上させるため、薬などを使用すること。これはフェアプレーの精神に反するとして、全世界のあらゆるスポーツで禁止されている。一般のスポーツでもたびたび問題になり、獲得したメダルや勝利を取り消されたり、出場禁止になったりする選手がいる。障がい者スポーツでも、1988年のソウルパラリンピックからはドーピング検査が実施されている。すでに違反者は何人か出ていて、障がい者アスリートもドーピング問題と無関係ではない。ただし、障がいがあるために薬を飲んでいる場合もあり、治療目的の薬物とドーピング目的の薬物使用とをしっかり区別できるような体制や規定がもとめられている。

11 障がい者スポーツとノーマライゼーション

障がいのある人が、社会のなかで障がいのない人たちとおなじように生きていくためには、さまざまな問題や困難があります。障がい者スポーツをとおして、障がい者への意識を深めることがもとめられています。

ノーマライゼーションとは？

ノーマライゼーションとは、障がい者や高齢者も社会や地域の一員として、ほかの人びととおなじようなくらしをあたりまえに送ることができるよう、福祉環境を整えた社会の実現をめざす考え方です。これは、1950年代にデンマークの知的障がい者施設で多くの人権侵害がおこなわれていたことに対し、国の役人だったバンク・ミケルセンという人が提唱したものです。1959年にデンマークで制定された知的障がい者法にこの考え方がもりこまれると、北ヨーロッパ諸国から世界へ広がりました。日本でも、「国際障害者年」（1981年→P18）以降、ノーマライゼーションの考え方が普及していきました。

まちのノーマライゼーション

かつては、障がいのある人は家や施設にいて、外出などはしないものという先入観がありました。じっさい、障がいのある人が外出しようとすると、まちのなかでは不便なことや困難なことがたくさんありました。1993年、ノーマライゼーションの考えにもとづき、「障害者基本法」が制定されました。この法律のなかで、障がいがあっても「あらゆる分野の活動に参加する機会を与えられる」ことが規定され、障がいのある人が利用できるよう、まちなかのバリアフリーにかんする法律の整備が進みました。2000年に「交通バリアフリー法」と「ハートビル法」が施行され、さらに2006年にふたつを統合したバリアフリー新法が施行されると、交通機関やまちの施設などが大幅にかわっていきました。

パラリンピックで、選手村と試合会場間は、車いすの選手のためにリフト付きバスで送迎される（2008年／北京大会）。こういった低床バス（ノンステップバス）は、まちなかでもみられるようになってきている。

競技を終えたあとで報道陣からの囲み取材を受ける、パラリンピック陸上選手の中西麻耶さん（2012年／ロンドン大会）。障がい者スポーツの報道がふえることで、テレビのニュースや雑誌の特集、新聞の記事などをとおして競技や選手のすがたが人びとの目にふれる機会が多くなる。

スポーツのノーマライゼーション

まちがバリアフリー化し、設備の面でのノーマライゼーションはどんどん進んでいます。しかし、心のノーマライゼーションはこれからも努力して進めていかなければなりません。一般のスポーツは、新聞やテレビなどに大きく取りあげられています。オリンピックやワールドカップなどの国際大会があれば、生中継されて大いにもりあがります。しかし障がい者スポーツは、それほど大きく取りあげられていないのが現状です。近年、ようやく世界のトップで戦う障がい者アスリートがメディアで紹介されるようになりました。また、パラリンピックの放送は録画放送が中心でしたが、2016年の「リオデジャネイロパラリンピック」では、はじめて連日の生中継がおこなわれました。障がい者スポーツを「特別なスポーツ」として見るのではなく、スポーツのひとつのジャンルとして楽しめるようになったのです。

ノーマライゼーションとバリアフリー、そしてユニバーサルデザイン

ノーマライゼーションの「ノーマル」とは、「ふつう、正常」を意味する。すべての人が人間としてふつうの生活ができるようにすることをめざす社会がノーマルな社会だという発想だ。バリアフリーの「バリア」は「障壁」を意味する。バリアフリーは、障壁になるものをとりのぞくという考え方だ。ノーマライゼーションの発想を具体的に推進する考え方としてバリアフリーがある。さらに、近年、「ユニバーサルデザイン」といって、国籍や性別、年齢、障がいの有無にかかわらず、できるかぎりすべての人が利用できるように製品や建物、空間をデザインしようという考え方が生まれている。はじめからバリアのないデザインを考えるというユニバーサルデザインは、バリアフリーの考えをさらにおしすすめた考え方として、注目されている。

もっと知りたい！

障がい者スポーツセンターの取り組み

スポーツには、競技スポーツのほかに、健康の保持や増進、レクリエーションを目的にしたものもあります。障がい者スポーツセンターは、障がいのある人が日常的にスポーツを楽しめるように、都道府県や市町村が設置した施設です。

日本初の障がい者スポーツ施設

1974年、日本ではじめての、障がいのある人のためのスポーツ施設が開館しました。大阪府の大阪市長居障がい者スポーツセンターです。スポーツをとおして、体力や健康を維持したり、機能の回復や向上をはかったりするほか、精神的にも自信と勇気をもち、社会参加の機会をふやして豊かな日常生活を送れるように応援することが目的です。

「いつひとりで来館しても指導員やなかまがいて、安心していろいろなスポーツを楽しむことができる」ことが基本方針。館内外には体育室、プール、卓球室、ボウリング室などさまざまなスポーツ施設があります。それぞれの部屋にはいつも指導員が待機していて、指導はもちろん、トレーニングメニューの相談などにものっています。

体育室　バスケットボール、テニス、バレーボール、ダンスなどさまざまなスポーツができる。

室内温水プール　6コースある25mの温水プール。スロープから入水できる。

ボウリング室　視覚障がいをもつ人のために音響装置や、さわってわかる装置も設置している。

トレーニング室　エアロバイク、ルームランナーなどがあり、各種トレーニングが可能。

遊戯室　たたみじきの部屋。立つのがむずかしい人でも寝ころんでスポーツができる。

屋外運動場　アーチェリー、フライングディスク、キャッチボール、サッカーなどが練習できる。

いつでも自由にスポーツを

このセンターは、大阪府内に住む障がいのある人であれば、受付で障がい者手帳などを見せ、どの施設を何人で利用するかなどを伝えるだけで、無料で施設を利用することができます。障がいを介助する人1名以外は有料の場合もありますが、家族や友人との利用も可能です。

施設内は建物全体がバリアフリー構造になっていて、車いすの利用者が行き来しやすくなっています。視覚障がいのある人が利用しやすいよう、トイレには音声ガイドが流れるようになっています。

障がいのある中学生以上で、アーチェリーを体験したい人を対象にした「アーチェリー教室」。専門の指導員がついておしえる。

地域やなかまとの交流の場

大阪市長居障がい者スポーツセンターでは、日ごろのスポーツ指導のほか、障がいの程度にあわせたさまざまなスポーツ教室を開いたり、スポーツクラブをつくったりしています。また、障がいのある人とない人が、ともにスポーツに親しみ、交流するきっかけづくりとして、スポーツ大会や夏祭り（盆おどり大会）、クリスマスのつどいといったイベントもおこなっています。

センターのさまざまな努力やはたらきかけもあり、施設の利用者は年ねんふえています。利用者は子どもから大人、高齢者まであらゆる年代の人が、友だちどうしや家族づれ、きょうだいや夫婦、スポーツクラブのなかまなどといっしょに施設をおとずれています。文部科学省によると、こういった障がい者スポーツ施設は、規模のちがいはありますが、全国に100か所以上あるとされています（→P28）。

いろいろなレクリエーションにアレンジをくわえた「おもしろゲーム」を、障がいのある人もない人も、みんなで楽しむ「レクリエーション教室」。

●年度別利用者数

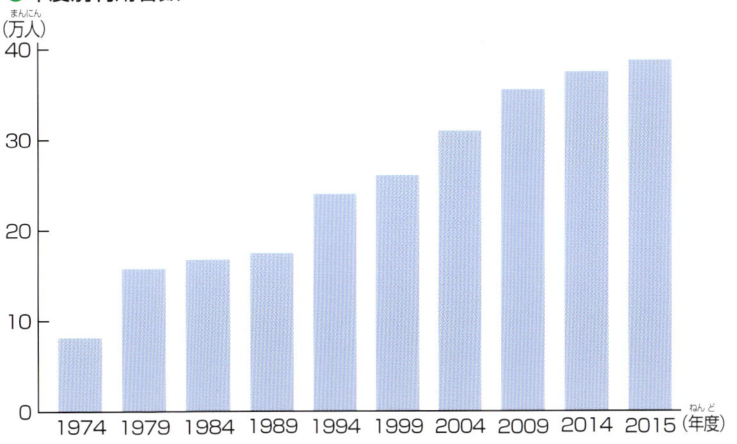

【資料】全国の障がい者スポーツ施設

都道府県名	名称	住所	電話	施設
●北海道	札幌市身体障害者福祉センター	北海道札幌市西区二十四軒2条6丁目1-1	011-641-8850	体育館、卓球室
	苫小牧市心身障害者福祉センターおおぞら園	北海道苫小牧市旭町2-1-11	0144-34-5821	体育館、サウンドテーブルテニス室
	サン・アビリティーズくしろ	北海道釧路市鳥取南7-2-20	0154-51-9865	体育館
●青森県	青森県身体障害者福祉センター ねむのき会館	青森県青森市大字野尻字今田52-4	017-738-5033	体育館、屋外プール、アーチェリー場
	八戸福祉体育館	青森県八戸市類家4-3-1	0178-43-0635	体育館
●岩手県	ふれあいランド岩手	岩手県盛岡市三本柳8地割1番3	019-637-7444	プール、体育館、陸上競技場、トレーニングルーム、卓球室、テニスコート、ゲートボール場、アーチェリー場
	岩手県勤労身体障害者体育館	岩手県盛岡市青山4-12-31	019-645-2187	陸上競技場、補助競技場、サッカー場、ラグビー場、野球場、テニスコート、登はん競技場
	サン・アビリティーズ一関	岩手県一関市三関字桜町36-3	0191-21-2162	体育館／盲人卓球、盲人用バレーボール、車椅子卓球の他、通常の球技、ゲートボール等も可能
●宮城県	元気フィールド仙台	宮城県仙台市宮城野区新田東4-1-1	022-231-1221	アリーナ、多目的室、サウンドテーブルテニス室、温水プール、トレーニング室、アーチェリー場
	宮城県障害者総合体育センター	宮城県仙台市宮城野区幸町4-6-1	022-295-6550	体育館、温水プール、トレーニング室
●秋田県	秋田県勤労身体障害者スポーツセンター	秋田県秋田市新屋下川原町2-4	018-863-7762	体育館、屋外運動場
	大館市立中央公民館	秋田県大館市桜町南45-1	0186-42-4369	アリーナ
	秋田県社会福祉会館	秋田県秋田市旭北栄町1-5	018-864-2700	体育館、盲人卓球室、トレーニングルーム、
●山形県	山形市福祉体育館	山形県山形市小白川町2-3-33	023-635-1771	体育館
●福島県	郡山市障がい者福祉センター	福島県郡山市香久池1-15-15	024-934-5811	体育館、トレーニング室
	いわきサン・アビリティーズ	福島県いわき市常磐湯本町上浅貝5-1	0246-43-7791	体育館、トレーニング室
	福島県勤労身体障がい者体育館	福島県西白河郡西郷村大字真船字芝原29-3	0248-25-3020	体育館
●茨城県	水戸サン・アビリティーズ	茨城県水戸市見川町2563-705	029-241-3232	体育館
●栃木県	宇都宮市サン・アビリティーズ	栃木県宇都宮市屋板町251-1	028-656-1458	体育館
	わかくさアリーナ	栃木県宇都宮市若草1-10-6	028-678-6677	アリーナ、サウンドテーブルテニス室、トレーニングコーナー
	足利市民プラザ 身体障害者スポーツセンター	栃木県足利市朝倉町264	0284-72-8511	アリーナ
●群馬県	群馬県立ふれあいスポーツプラザ	群馬県伊勢崎市下触町238-3	0270-62-9000	温水プール、体育室、サウンドテーブルテニス室、トレーニング室、グラウンド、テニスコート、アーチェリー場
	高崎身体障害者体育センター	群馬県高崎市柴崎町1746	027-346-8109	体育館
	前橋サン・アビリティーズ	群馬県前橋市上佐鳥町539-2	027-265-4125	体育館
	群馬県立ゆうあいピック記念温水プール	群馬県渋川市行幸田3011	0279-25-3033	温水プール、トーレニングスペース
●埼玉県	埼玉県障害者交流センター	埼玉県さいたま市浦和区大原3-10-1	048-834-2222	体育館、屋内プール、トレーニング室、テニス場、ソフトボール場、運動場、ゲートボール場、アーチェリー場
	所沢サン・アビリティーズ	埼玉県所沢市大字上安松1286-7	04-2995-1301	体育室
●千葉県	千葉県障害者スポーツ・レクリエーションセンター（サン・アビリティーズ千葉）	千葉県千葉市稲毛区天台6-5-1	043-253-6111	体育室、多目的室
	千葉市療育センター ふれあいの家	千葉市美浜区高浜4-8-3	043-279-1141	体育室
●東京都	東京都障害者総合スポーツセンター	東京都北区十条台1-2-2	03-3907-5631	体育館、トレーニング室、屋内温水プール、卓球・サウンドテーブルテニス室、運動場、アーチェリー場、テニスコート、スポーツ広場
	東京都多摩障害者スポーツセンター	東京都国立市富士見台2-1-1	042-573-3811	体育館、プール、トレーニング室、ホール、卓球室
	全国身体障害者総合福祉センター（戸山サンライズ）	東京都新宿区戸山1-22-1	03-3204-3611	体育館、トレーニング室
●神奈川県	障害者スポーツ文化センター 横浜ラポール	神奈川県横浜市港北区鳥山町1752	045-475-2001	屋外グラウンド、地下グラウンド、アーチェリー場、テニス・バウンドテニスコート、ローンボウルス場、アリーナ、サウンドテーブルテニス室、プール、フィットネスルーム、ウォーキングコース、ボウリングルーム
	藤沢市太陽の家心身障害者福祉センター	神奈川県藤沢市鵠沼海岸6-6-12	0466-33-1411	体育館

都道府県名	名称	住所	電話	施設
	サン・アビリティーズ相模原（けやき体育館）	神奈川県相模原市中央区富士見6-6-23	042-753-9030	体育室、機能訓練室
●新潟県	新潟県障がい者交流センター（新潟ふれ愛プラザ）	新潟県新潟市江南区亀田向陽1-9-1	025-381-8110	体育館、温水プール、プレイルーム、サウンドテーブルテニス室、リハビリ・トレーニング室
	上越市勤労身体障害者体育館	新潟県上越市木田1-17-33	025-525-4144	競技場、卓球場、柔剣道場
●富山県	富山市勤労身体障害者体育センター	富山県富山市水橋畠等298-2	076-478-4951	アリーナ
	サン・アビリティーズ滑川	富山県滑川市柳原1537-2	076-475-3342	体育室
●石川県	小松サン・アビリティーズ	石川県小松市符津町念仏ケ2-7	0761-44-4411	体育館
●福井県	福井県社会福祉センター	福井県福井市光陽2-3-22	0776-24-0294	体育館
●山梨県	山梨県障害者スポーツ協会	山梨県甲府市北新1-2-12 山梨福祉プラザ1階	052-252-0100	施設はないが、スポーツ用具の貸出しをしている
●長野県	長野県障がい者福祉センター サンアップル	長野県長野市下駒沢586	026-295-3111	屋内温水プール、体育館、トレーニングルーム、卓球室、陸上競技場、テニスコート、アーチェリー場
	サンスポート駒ヶ根	長野県駒ヶ根市赤穂1694 長野県看護大学内	0265-82-2901	体育館、プール
●岐阜県	岐阜県福祉友愛プール	岐阜県岐阜市宇佐4-3-2	058-274-1204	プール
	勤労身体障害者等市民プール	岐阜県大垣市中ノ江3-1-3	0584-74-5539	プール、テニスコート
●静岡県	静岡県身体障害者福祉センター	静岡県静岡市葵区駿府町1-70	054-252-7829	体育館
●愛知県	名古屋市障害者スポーツセンター	愛知県名古屋市名東区勢子坊2-1501	052-703-6633	体育室、温水プール、トレーニング室、卓球室、サウンドテーブルテニス室
	名古屋市総合リハビリテーションセンター	愛知県名古屋市瑞穂区彌富町字密柑山1-2	052-835-3811	体育館、多目的ホール、トレーニングルーム
	愛知勤労身体障害者体育館	愛知県稲沢市祖父江町祖父江寺西14-5	0587-97-6630	体育館
	サン・アビリティーズ豊田	愛知県豊田市西山町5-2-6	0565-33-5631	体育館
	春日井市福祉文化体育館（サン・アビリティーズ春日井）	愛知県春日井市浅山町1-2-61	0568-84-2611	体育館
	豊橋市障害者福祉会館さくらピア	愛知県豊橋市東新町15	0532-53-3153	体育館、トレーニング室、ランニングコース、屋外プール
●三重県	三重県身体障害者総合福祉センター	三重県津市一身田大古曽670-2	059-231-0155	体育館、グラウンド、テニスコート、ゲートボール場
	四日市市障害者体育センター	三重県四日市市西日野町4070-1	059-322-1784	体育室
●滋賀県	滋賀県立障害者福祉センター	滋賀県草津市笠山8-5-130	077-564-7327	アリーナ、トレーニング室、温水プール、屋外アーチェリー場
	信楽体育館	滋賀県甲賀市信楽町長野1310	0748-82-0934	体育館
●京都府	京都市障害者スポーツセンター	京都府京都市左京区高野玉岡町5	075-702-3370	体育室、プール、重度体育室、プレイルーム、卓球・サウンドテーブルテニス室、トレーニング室、アーチェリー場
	京都市障害者教養文化・体育会館	京都府京都市南区上鳥羽塔ノ森上河原37-4	075-682-7140	体育室、トレーニング室
	サン・アビリティーズ城陽	京都府城陽市中芦原	0774-53-6644	アリーナ（バレーボール、バスケットボール、テニス各1面、アーチェリー、バドミントン）
●大阪府	大阪市長居障がい者スポーツセンター	大阪府大阪市東住吉区長居公園1-32	06-6697-8681	体育室、室内温水プール、卓球室、ボウリング室、トレーニング室、遊戯室、屋外運動場、屋外プール
	大阪府立稲スポーツセンター	大阪府箕面市稲6-15-26	072-728-4822	体育館、トレーニング室
	大阪市舞洲障がい者スポーツセンター（アミティ舞洲）	大阪府大阪市此花区北港白津2-1-46	06-6465-8200	アリーナ（バスケットコート）、温水プール、卓球室、ボウリング室、トレーニング室、サブアリーナ、プレイルーム、アーチェリー場
	大阪府立障がい者交流促進センター（ファインプラザ大阪）	大阪府堺市南区城山台5-1-2	072-296-6311	プール、体育館、運動場、アーチェリー場、トレーニング室
	堺市立健康プラザ	大阪府堺市堺区旭ヶ丘中町4-3-1	072-275-5029（スポーツセンター）	プール、体育館、トレーニング室
	岸和田市立サン・アビリティーズ	大阪府岸和田市加守町4-6-18	072-444-8081	体育館
●兵庫県	オージースポーツ 神戸福祉スポーツセンター	兵庫県神戸市中央区磯上通3-1-32	078-271-5332	プール、体育館、トレーニングルーム
	兵庫県立障害者スポーツ交流館	兵庫県神戸市西区曙町1070 総合リハビリテーションセンター内	078-927-2727	アリーナ、トレーニングルーム、クライミングボード
	しあわせの村	兵庫県神戸市北区山田町下谷上字中一里山14-1	078-743-8000	体育館、多目的運動広場、プール、球技場、トレーニングジム、テニスコート、アーチェリー場、ローンボウルズ場、ゴルフ場、馬事公苑
	西宮市総合福祉センター	兵庫県西宮市染殿町8-17	0798-33-5501	プール、体育室、トレーニング室
	勤労者体育館（サン・アビリティーズにしのみや）	兵庫県西宮市松原町2-41	0798-33-3878	アリーナ、多目的ホール
	神戸市立心身障害者福祉センター	兵庫県神戸市兵庫区水木通2-1-10	078-577-6505	体育室

都道府県名	名称	住所	電話	施設
	神戸市立王子スポーツセンター	兵庫県神戸市灘区青谷町1-1	078-802-0223	アリーナ、体育室、柔道場、剣道場、スタジアム、トレーニング室、テニスコート、プール、すもう場
●奈良県	奈良県心身障害者福祉センター	奈良県磯城郡田原本町宮森34-4	0744-33-3393	体育館、アリーナ、トレーニング室、屋外プール
	奈良市総合福祉センター	奈良県奈良市左京5-3-1	0742-71-0770	体育室、多目的室
	天理市障害者ふれあいセンター	奈良県天理市柳本町719	0743-67-2188	体育館
●和歌山県	和歌山県子ども・女性・障がい者相談センター	和歌山県和歌山市毛見1437-218	073-445-5311	体育館、プール、多目的ホール、プレイルーム、センターアーチェリー場
●鳥取県	鳥取県立障害者体育センター	鳥取県鳥取市湖山町西3-129	0857-32-5011	体育室
	米子サン・アビリティーズ	鳥取県米子市皆生3-16-20	0859-23-0699	体育館、多目的室
●島根県	島根県立はつらつ体育館	島根県松江市上乃木7-1-27	0852-21-3253	体育室
	サン・アビリティーズいずも	島根県出雲市今市町北本町3-1-20	0853-24-2040	体育室、多目的室（柔道・空手など）
●岡山県	岡山市障害者体育センター	岡山県岡山市北区二日市町56	086-223-5480	アリーナ、プレイルーム、ビリヤード室
●広島県	広島市心身障害者福祉センター	広島県広島市東区光町2-1-5	082-261-2333	体育室、プール、卓球室
	広島県立障害者リハビリテーションセンター	広島県東広島市西条町田口295-3（スポーツ交流センター）	082-425-6800	アリーナ、プール、トレーニング室、卓球室、多目的グラウンド
	福山市障害者体育センター	広島県福山市港町1-11-10	084-931-1833	体育室
●山口県	山口県身体障害者福祉センター	山口県山口市八幡馬場36-1	083-925-2345	体育館、プール、レクリエーションルーム、卓球室
	サン・アビリティーズ光	山口県光市室積沖田6-1	0833-79-2025	体育館
●徳島県	徳島県立障がい者交流プラザ	徳島県徳島市南矢三町2-1-59	088-631-1000	盲人卓球室、プール、体育館、トレーニング室
●香川県	かがわ総合リハビリテーション福祉センター	香川県高松市田村町1114	087-867-7686	体育館（アリーナ・トレーニング室）、屋内温水プール、グラウンド、アーチェリー場
●愛媛県	愛媛県身体障がい者福祉センター	愛媛県松山市道後町2-12-11	089-924-2101	体育館
	サン・アビリティーズ今治	愛媛県今治市喜田村2-1-10	0898-48-3477	体育館、アーチェリー場
●高知県	高知県立障害者スポーツセンター	高知県高知市春野町内ノ谷1-1	088-841-0021	体育館、プール、テニスコート、アーチェリー場、グラウンド、卓球室、盲人卓球室、プレイルーム
●福岡県	福岡市立障がい者スポーツセンター（さん・さんプラザ）	福岡県福岡市南区清水1-17-15	092-511-1132	体育館、温水プール、アーチェリー場、トレーニング室、卓球室、視覚障がい者用卓球室
	クローバープラザ	福岡県春日市原町3-1-7	092-584-1212	フィットネスルーム、アリーナ（トレーニング室、プール、体育館、大ホール、卓球室／盲人卓球室、アーチェリー場、グラウンド）
	北九州市障害者スポーツセンター（アレアス）	福岡県北九州市小倉北区三郎丸3-4-1	093-922-0026	体育館、プール、トレーニング室、大スタジオ、小スタジオ、サウンドテーブルテニス室、多目的室
	サン・アビリティーズいいづか	福岡県飯塚市柏の森956-4	0948-29-3087	アリーナ、室内プール
	サン・アビリティーズおおむた	福岡県大牟田市大字手鎌1380-3	0944-51-0876	アリーナ、健康チェックコーナー
●佐賀県	勤労身体障害者教養文化体育館（サン・アビリティーズ佐賀）	佐賀県佐賀市天祐1-8-5	0952-24-3809	体育館
●長崎県	長崎市障害福祉センター（もりまちハートセンター）	長崎県長崎市茂里町2-41	095-842-2525	体育室、軽スポーツ室、プール
	諫早市新道福祉交流センター	長崎県諫早市新道町999-1	0957-24-1001	体育館、アリーナ
	サン・アビリティーズ佐世保	長崎県佐世保市干尽町3-100	0956-33-9231	体育館
●熊本県	熊本県身体障がい者福祉センター	熊本県熊本市長嶺南2-3-2	096-383-6533	体育館、グラウンド、アーチェリー場
	希望の里サン・アビリティーズ	熊本県宇城市松橋町豊福1786	0964-33-5405	体育館
●大分県	大分県身体障害者福祉センター	大分県大分市大津町2-1-41	097-558-4849	体育館、温水プール、卓球室
	別府市身体障害者福祉センター	大分県別府市大字鶴見4310-2	0977-21-9093	体育館
●宮崎県	宮崎市障がい者体育センター	宮崎県宮崎市大字恒久字西原5132	0985-53-1826	体育館
	サン・アビリティーズ都城	宮崎県都城市都原町3369	0986-25-2018	体育館、ホール
●鹿児島県	鹿児島県障害者自立交流センター（ハートピアかごしま）	鹿児島県鹿児島市小野1-1-1	099-218-4333	体育館、温水プール、サウンドテーブルテニス室、トレーニング室、グラウンド、アーチェリー場
	サン・アビリティーズ川内	鹿児島県薩摩川内市永利町4107-2	0996-22-7938	体育館
●沖縄県	サン・アビリティーズうらそえ	沖縄県浦添市宮城4-11-1	098-876-3477	体育館、プール、盲人卓球室、トレーニング室、ゲートボール場

※文部科学省「障害者スポーツに関する基礎データ集」2012年度をもとに作成

さくいん

■ 監修／**大熊廣明**（おおくま ひろあき）

1948年、千葉県生まれ。1972年東京教育大学体育学部卒業。1976年東京教育大学大学院体育学研究科修了。現在、筑波大学名誉教授。共編著に『体育・スポーツの近現代－歴史からの問いかけ』（不昧堂出版）、監修に『体育・スポーツ史にみる戦前と戦後』（道和書院）、「しらべよう！かんがえよう！オリンピック」、「調べよう！考えよう！ 選手をささえる人たち」シリーズ（ともにベースボール・マガジン社）、「もっと知りたい図鑑 サッカーパーフェクト図鑑」（ポプラ社）などがある。

■ 編／**こどもくらぶ**（二宮祐子）

「こどもくらぶ」は、あそび・教育・福祉の分野で、こどもに関する書籍を企画・編集しているエヌ・アンド・エス企画編集室の愛称。図書館用書籍として、以下をはじめ、毎年5〜10シリーズを企画・編集・DTP製作している。これまでの作品は1000タイトルを超す。

http://www.imajinsha.co.jp/

■ **企画・制作・デザイン**

株式会社エヌ・アンド・エス企画

佐藤道弘

■ **文・編集協力**

村上奈美

■ **写真提供**（敬称略、順不同）

東京新聞（P3、16、20、22、23、24、25）

全日本ろうあ連盟（P12）

長居障がい者スポーツセンター（P26、27）

日本視覚障害者柔道連盟（P4）

日本障がい者スポーツ協会日本パラリンピック委員会（P3、8、10、11、14、16）

日本障害者スキー連盟（P1、18）

日本身体障害者アーチェリー連盟（P15）

日本ブラインドサッカー協会（P5）

日本盲人マラソン協会（P21）

アスキー・メディアワークス（P18）

アフロ（P6、7、9）

TOKYO METROPORITAN GOVERNMENT（P2）

■ **表紙写真**

Press Association/アフロ

この本の情報は、2016年11月までに調べたものです。
今後変更になる可能性がありますので、ご了承ください。

大きな写真でよくわかる

障がい者スポーツ大百科❶ 障がい者スポーツって、なに?

初 版 第1刷 2016年12月23日

監 修 大熊廣明
編 こどもくらぶ
発 行 株式会社 六耀社
〒136-0082 東京都江東区新木場 2-2-1
電話 03-5569-5491 FAX 03-5569-5824
発行人 圖師尚幸
印刷所 シナノ書籍印刷株式会社

©Kodomo kurabu NDC780 280×215mm 32P ISBN978-4-89737-883-1 Printed in Japan 2016